CHIEN RECHERCHE GARÇON

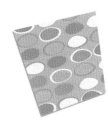

Pour Hobbes, le petit chiot, et Guy Dilena — S. J.

Pour Rod, Gloria et Shane, qui me donnent leur amour et leur appui,
et me font tellement rire — A. S.

Édition publiée par les Éditions Scholastic,
604, rue King Ouest, Toronto (Ontario) M5V 1E1,
avec la permission de Kids Can Press Ltd.

5 4 3 2 1   Imprimé en Chine   10 11 12 13 14

Les illustrations de ce livre sont faites à l'encre, à la gouache
et au moyen de collages numériques et de détermination pure
et simple.

Le texte est composé en caractères Big Ruckus AOE.

Conception graphique de Karen Powers

Catalogage avant publication de Bibliothèque et Archives Canada
Jennings, Sharon
[C'mere, boy! Français]
Chien recherche garçon / Sharon Jennings ;
illustrations de Ashley Spires ; texte français d'Hélène Rioux.
Traduction de: C'mere, boy!
ISBN 978-1-4431-0146-2
I. Spires, Ashley, 1978- II. Rioux, Hélène, 1949-
III. Titre. IV. C'mere boy!
PS8569.E563C6414 2010   jC813'.54   C2009-904872-8

CHIEN RECHERCHE GARÇON

Sharon Jennings

Illustrations d'Ashley Spires

Texte français d'Hélène Rioux

Toutou veut un garçon.

— Est-ce qu'on peut avoir un garçon? demande-t-il à sa mère. Dis oui, maman, s'il te plaît!

Dans la niche, la mère de Toutou regarde autour d'elle et répond :

— Nous n'avons pas assez de place. D'ailleurs, qui va s'occuper de ce garçon?

— Il dormira dans mon lit, répond Toutou. Et j'en prendrai soin. Je jouerai avec lui et je l'emmènerai en promenade. C'est promis.

— Fais comme tu veux, dit sa mère en souriant. Mais rappelle-toi : c'est très difficile de dresser un garçon.

Lundi, Toutou écrit « NOURRITURE POUR GARÇON » sur la liste d'épicerie.

Sa mère raye aussitôt cet article.

— Tu n'as pas encore de garçon, dit-elle.

— Je sais, répond Toutou, mais quand j'en aurai un, je serai prêt à lui donner à manger.

Mardi, Toutou rentre à la maison avec une laisse. Sa mère éclate de rire.

— Tu n'as pas encore de garçon, dit-elle.

— Je sais, répond Toutou, mais quand j'en aurai un, je serai prêt à l'emmener en promenade.

Mercredi, Toutou se rend à l'école de dressage. Sur un écriteau, on peut lire :

APPRENEZ DE NOUVEAUX TOURS!

— Que fais-tu ici? lui demande l'instructeur. Tu n'as pas de garçon!

— Je sais, répond Toutou, mais quand j'en aurai un, je serai prêt à le dresser.

Jeudi, Toutou se rend au salon de toilettage « Chic et Charmant » pour faire rafraîchir sa coupe et limer ses griffes.

— Comment vas-tu payer? demande la propriétaire. Tu n'as même pas de garçon!

— Je sais, répond Toutou, mais quand j'en aurai un, il faudra que je sois présentable.

— Sors d'ici! ordonne la propriétaire.

— Zut! soupire Toutou. Tant que je n'aurai pas de garçon, je ne pourrai rien faire.

Vendredi, Toutou annonce à sa mère qu'il va faire des courses.

— Je reviendrai seulement quand j'aurai trouvé un garçon, ajoute-t-il.

Tout d'abord, il va au centre commercial. Sur une porte, on peut lire :

CHIENS INTERDITS!

Toutou est jeté dehors.

Puis, Toutou se rend au parc. Sur un écriteau accroché à un arbre, on peut lire :

CHIENS EN LAISSE SEULEMENT

Toutou est chassé du parc.

Alors Toutou erre dans les rues. Il voit beaucoup de garçons. Certains sont trop grands. D'autres sont trop petits. Mais surtout, aucun de ces garçons n'a l'odeur qui lui plaît.

Le soir tombe et bientôt Toutou ne distingue plus rien. Il ne voit pas le gros camion qui roule derrière lui. Sur ce camion, on peut lire le mot :

FOURRIÈRE

Toutou est emmené au chenil et enfermé dans une cage. Un homme lui donne de la nourriture et de l'eau. Toutou passe une très mauvaise nuit. Il s'ennuie de sa maman.

« Je devrais... peut-être... renoncer à avoir un garçon », songe-t-il.

Samedi, Toutou est conduit à la salle de « Rencontre et Accueil ». Là, un garçon attend.

— Viens, mon chien, dit le garçon.

Toutou est perplexe.

— Non, c'est toi qui dois venir, répond-il.

Le garçon obéit. Il s'approche de Toutou et lui gratte les oreilles.

Toutou frotte son museau contre la main du garçon.

Il lui renifle le postérieur.

Il lui lèche le visage.

— Tu es le garçon qu'il me faut, annonce-t-il. Je te prends!

Toutou et le garçon montent dans une voiture. Plutôt que de prendre le chemin de la niche de Toutou, ils se dirigent vers la maison du garçon.

— N'oublie pas, dit la mère du garçon. Tu as dit que tu t'occuperais de lui.

— C'est promis, dit le garçon.

Un peu plus tard au cours de la journée, Toutou emmène le garçon en promenade.

Toutou lui apprend à jouer à la balle.

Toutou lui montre comment
ramasser ses crottes.

Et, au souper, Toutou lui montre
qu'il faut partager la nourriture.

Dimanche, Toutou écrit une lettre.

Chère maman,

J'ai enfin trouvé un garçon!

Tu avais raison : il n'est pas

facile de dresser un garçon.

Mais j'ai décidé de le garder et,

pour l'instant, j'habite chez lui.

Nous viendrons te voir bientôt.

Je t'aime,
Toutou